ड्रीमलैण्ड

हिन्दी

सुलेख पुस्तक

भाग – 2

(शब्द ज्ञान)

प्रकाशक

ड्रीमलैण्ड पब्लिकेशन्स

जे –128, कीर्ति नगर, नई दिल्ली – 110015 (भारत)

फोन : 011–2543 5657, फैक्स : 011–2543 8283

E-mail:dreamland@vsnl.com

www.dreamlandpublication.com

घर फल जग नल

घर फल जग नल

घर फल जग नल

घर फल जग नल

बस टब हल रथ

बस टब हल रथ

बस टब हल रथ

बस टब हल रथ

नग ईद ऊन आम

नग ईद ऊन आम

नग ईद ऊन आम

नग ईद ऊन आम

10

ठग जल दस धन

ठग जल दस धन

ठग जल दस धन

ठग जल दस धन

चख नट पढ़ रट

चख नट पढ़ रट

चख नट पढ़ रट

चख नट पढ़ रट

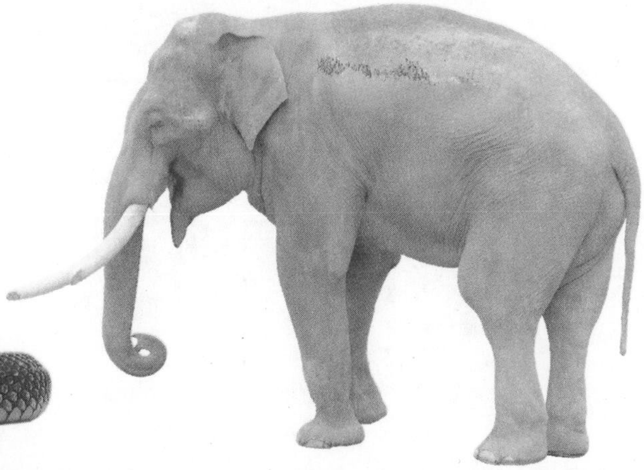

भय टन फण गज

भय टन फण गज

भय टन फण गज

भय टन फण गज

मठ छत ठप खत

मठ छत ठप खत

मठ छत ठप खत

मठ छत ठप खत

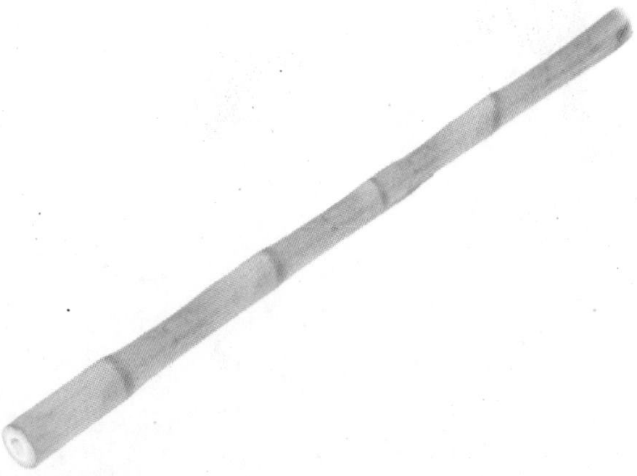

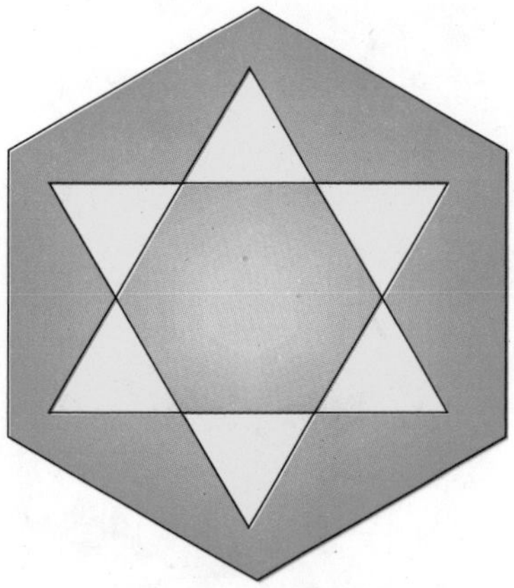

लठ षट जड़ यश

लठ षट जड़ यश

लठ षट जड़ यश

लठ षट जड़ यश

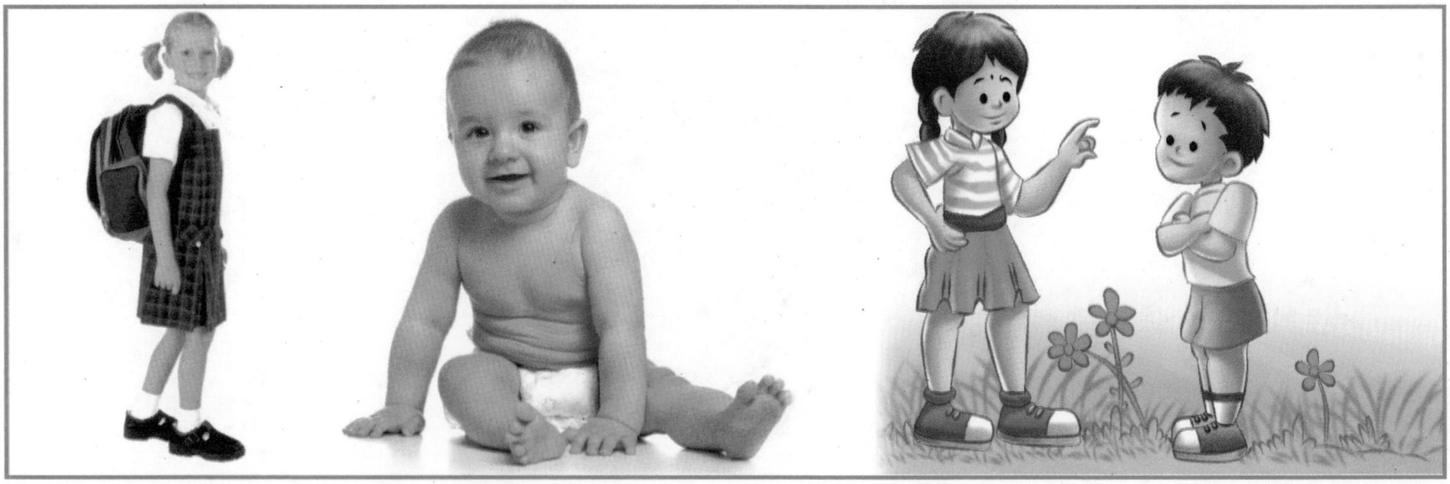

चल तन यह वह

चल तन यह वह

चल तन यह वह

चल तन यह वह

नल पर जल भर

नल पर जल भर

नल पर जल भर

नल पर जल भर

झट पट फल चख

झट पट फल चख

झट पट फल चख

झट पट फल चख

रथ पर घर चल

रथ पर घर चल

रथ पर घर चल

रथ पर घर चल

सड़क मटर नमक बतख

सड़क मटर नमक बतख

सड़क मटर नमक बतख

सड़क मटर नमक बतख

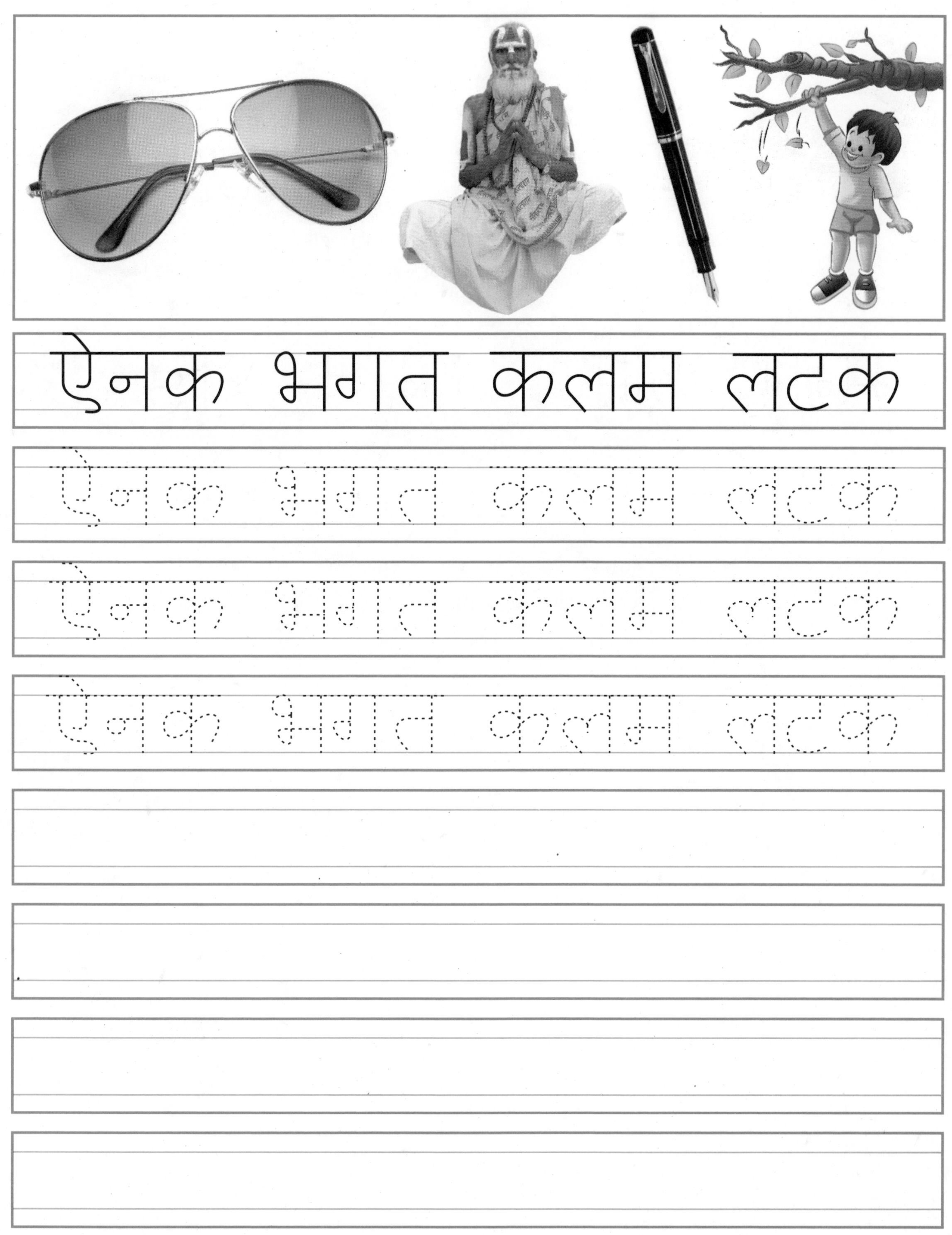
ऐनक भगत कलम लटक
ऐनक भगत कलम लटक
ऐनक भगत कलम लटक
ऐनक भगत कलम लटक

मगर कमल गगन शहद

मगर कमल गगन शहद

मगर कमल गगन शहद

मगर कमल गगन शहद

चरण अमर अजय कलश

चरण अमर अजय कलश

चरण अमर अजय कलश

चरण अमर अजय कलश

नहर भवन बटन रबड़
नहर भवन बटन रबड़
नहर भवन बटन रबड़
नहर भवन बटन रबड़

चल कर बतख पकड़

चल कर बतख पकड़

चल कर बतख पकड़

चल कर बतख पकड़

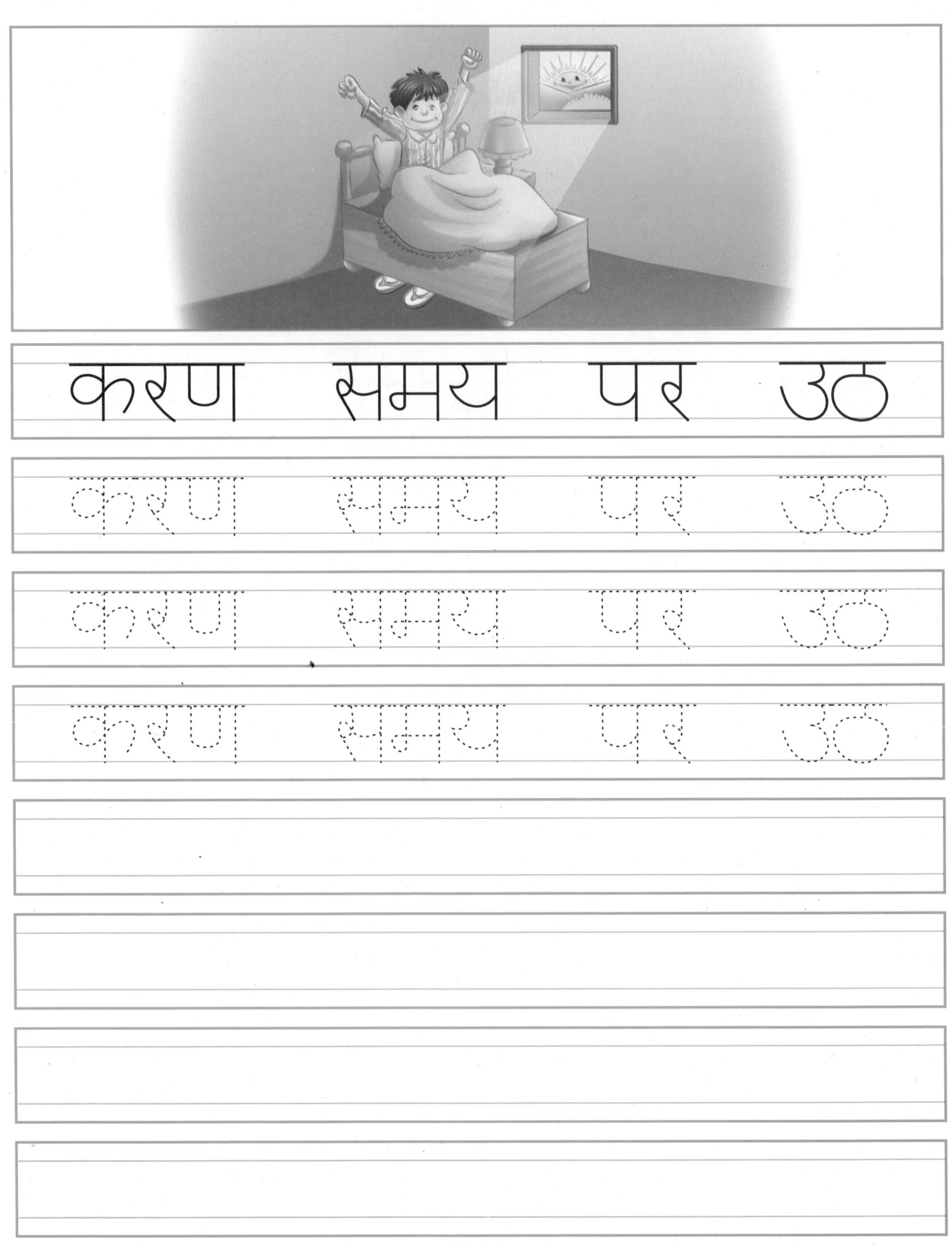

करण समय पर उठ

करण समय पर उठ

करण समय पर उठ

करण समय पर उठ

अकड़ मत चरण पकड़

सड़क पर मत चल

सड़क पर मत चल

सड़क पर मत चल

सड़क पर मत चल

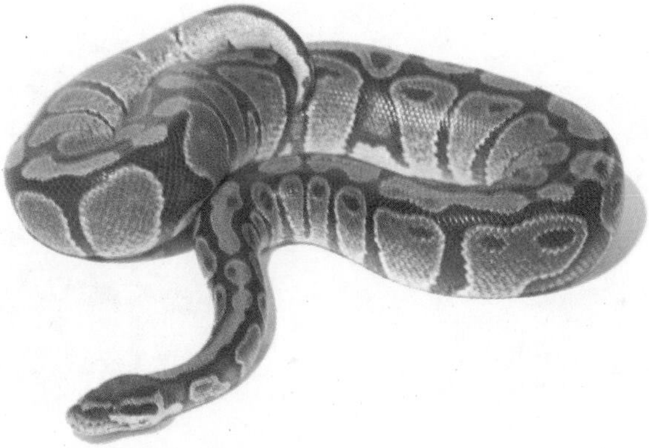

शलगम अजगर थरमस

शलगम अजगर थरमस

शलगम अजगर थरमस

शलगम अजगर थरमस

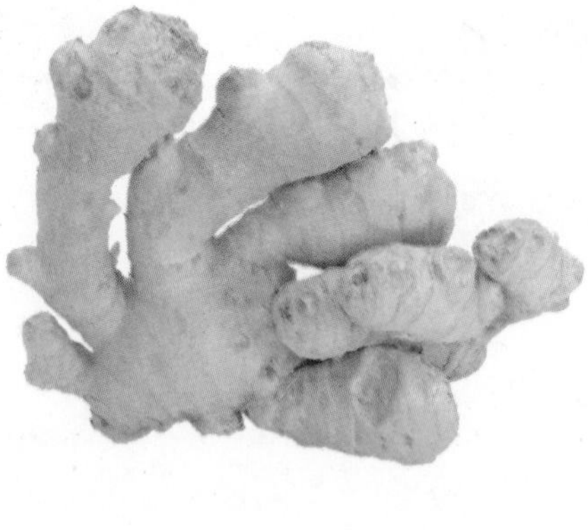

अचकन अदरक बरगद

अचकन अदरक बरगद

अचकन अदरक बरगद

अचकन अदरक बरगद

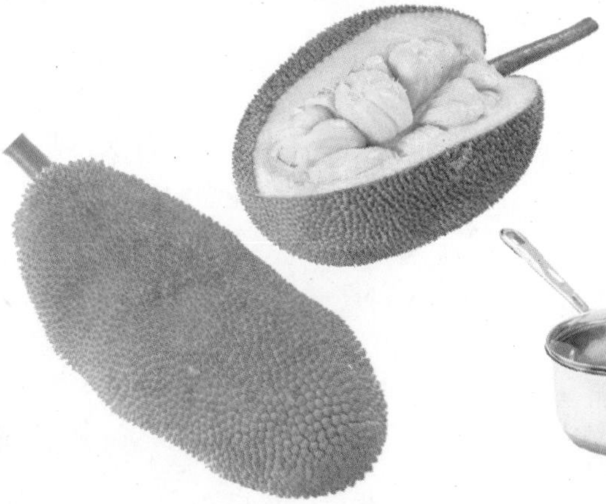

पनघट कटहल बरतन

पनघट कटहल बरतन

पनघट कटहल बरतन

पनघट कटहल बरतन

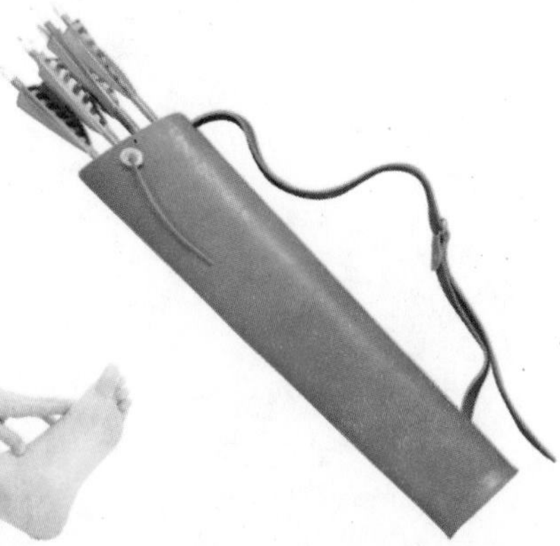

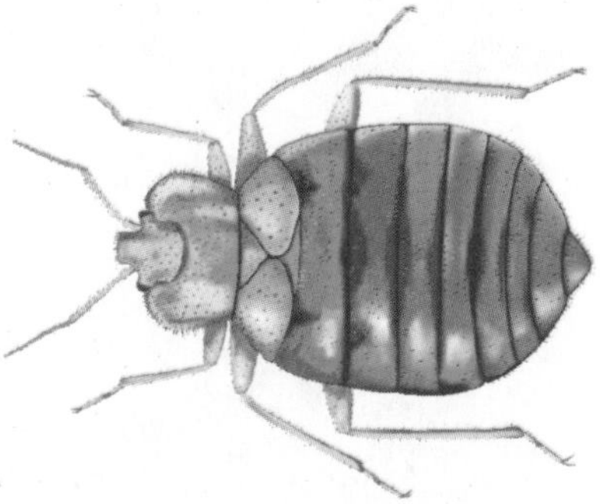

कसरत तरकश खटमल

कसरत तरकश खटमल

कसरत तरकश खटमल

कसरत तरकश खटमल

पढ़कर अफ़सर बन

पढ़कर अफ़सर बन

पढ़कर अफ़सर बन

पढ़कर अफ़सर बन

झगड़ गड़बड़ न कर

झगड़ गड़बड़ न कर

झगड़ गड़बड़ न कर

झगड़ गड़बड़ न कर

बरतन पर शलगम रख

बरतन पर शलगम रख

बरतन पर शलगम रख

बरतन पर शलगम रख

बरतन खटपट न कर

बरतन खटपट न कर
बरतन खटपट न कर
बरतन खटपट न कर

सरपट घर चल

सरपट घर चल

सरपट घर चल

सरपट घर चल

दमकल पतझड उपवन

दमकल पतझड उपवन

दमकल पतझड उपवन

दमकल पतझड उपवन